喂！不要玩文物

——魔性哏圖懶人包

王聰穎——繪圖

馮翰寧——文字

聰穎姊姊的話

大朋友和小朋友，你們好呀！我是喜歡畫畫和旅行的聰穎姊姊，除此之外，我更喜歡探索奇奇怪怪的歷史文化知識。

我經常在旅行時去各地的博物館打卡，對我來說，每一件文物都是歷史的見證者；每次凝望它們時，都能感受到歲月斑駁的痕跡，以及背後的故事。

當我在南京博物院參訪時，走過歷史館的長廊，彷彿穿越一般，忽然覺得裡面的文物變得生動起來，特別是那些形態各異的陶俑，如同動畫人物。它們身穿不同服飾，做著有趣的動作，就像在我眼前呈現著一段段小品故事，我沉浸其中，在想像中馳騁，可以獨自快樂一整天。

例如書中收錄的「國民健康操預備」這一幅哏圖（見 p.35），原型是漢代的侍女俑，因為歲月的風化，它的原始面目已經模糊，但在陳列時，被擺放在

一排排陶俑前面，看上去就像一個公園或廣
場舞的領舞者，趣味橫生。那一瞬間，我萌
生要畫一組現代版陶俑的念頭，便有了這
本書的誕生。

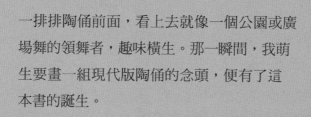

　　希望在這
種現代與歷
史的碰撞
中，各位大朋友和
小朋友能感受到不一樣的火花！

目錄

注：本書繪製的文物哏圖為藝術創作，不嚴格依據
史實，為避免誤導，特此說明。

文
物
之
旅
啟
航
！

新石器時代

○ 豬形陶罐

館藏地
南京博物院

這件陶罐出土於江蘇高郵的龍虯莊遺址，這是一處距今七千～五千年的遠古人類遺跡。這個陶罐造型憨態可掬，表情生動有趣，好似現在的存錢筒，那麼，當時的人們為什麼要製作這種造型陶罐呢？

原來啊！龍虯莊的先民們原本居住在北方，遷移到龍虯莊以前，他們就學會飼養家豬，豬肉是他們重要的肉類食物，養豬的家庭便是富裕人家。這樣的家庭裡如果有人死去，家人們便會製作家豬造型的陶罐隨葬，希望死去的人在另一個世界繼續享受這種富足。

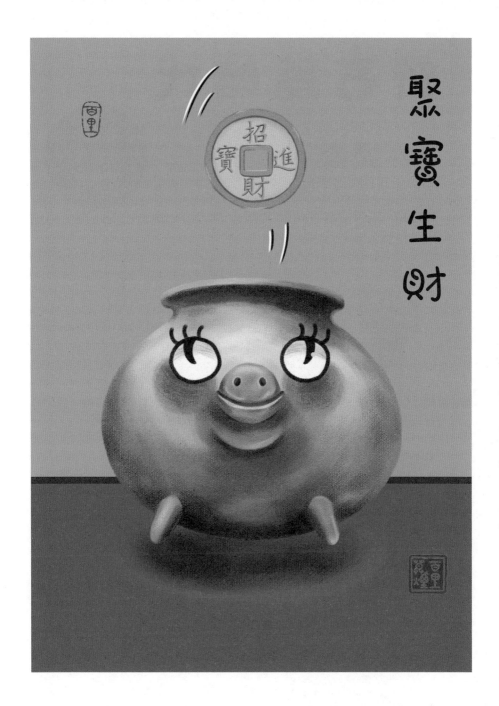

聚寶生財

新石器時代

○ 人頭壺

館藏地
西安半坡
博物館

這件人頭壺來自陝西洛南的焦村遺址，是六千多年前的產物。人頭面部表情十分柔和，整體形狀仿照孕婦製成。

這六千多年前的壺，人頭部分的頭髮井然有序，說明當時的人已經有對美的追求，學會打扮自己，懂得如何整理髮髻，而不是頂著一頭亂髮。

往壺裡倒水進去後會發現這把壺有點「恐怖」，因為水會從陶人的雙眼和嘴巴流出來，就像是母親的眼中流出淚水。或許是表現女人孕育孩子的不易，用這種造型讚頌母親含辛茹苦撫養孩子的愛與奉獻。

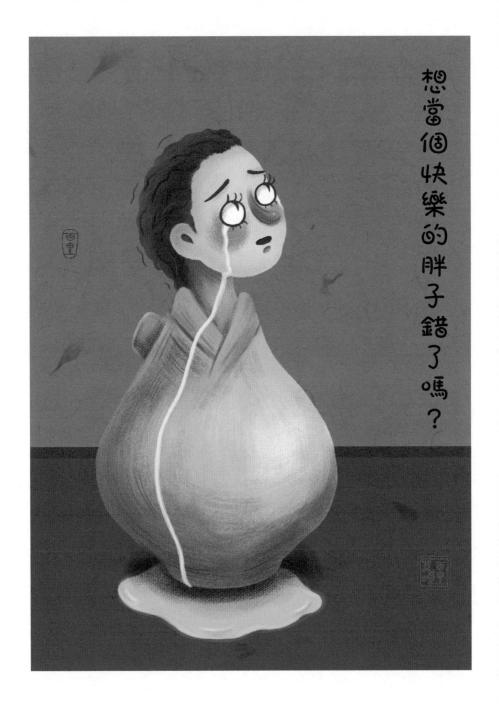

想當個快樂的胖子錯了嗎？

新石器時代

○ 興隆溝陶人

館藏地

內蒙古
史前文化
博物館

這尊陶人出土於內蒙古赤峰市的興隆溝遺址,距今已五千三百年。

它是怎麼被發現的呢?二〇一二年,考古人員在興隆溝發現幾片特殊的紅陶片,經過連日搜索,又找到幾千片碎片,最終拼合成一尊完整的人身像。

這個人像是誰呢?當時此地盛行崇拜女神的文化,女性神像發現較多。而這個盤腿、張嘴的人像明顯是男性,所以應該不是神像,是什麼人被製作成如此複雜精美的塑像呢?他必定身分地位崇高,可能是當地的王者,也可能是一名男覡(巫師),你們看,張開的嘴是不是很像在念誦祝詞呢?

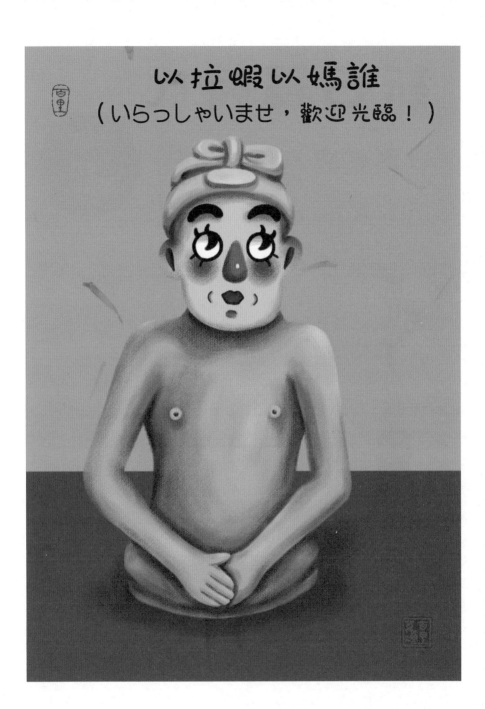

以拉暇以媽誰
（いらっしゃいませ，歡迎光臨！）

新石器時代

○ 青銅立人像

館藏地
三星堆
博物館

這是一件高達二百六十公分的大型青銅人像，來自於距今五千～三千年的古蜀文明，是著名的四川廣漢三星堆遺址中最具代表性的出土文物。人像頭戴高冠，身上衣服紋飾繁複精美，腳戴足鐲，赤足站立於方形怪獸座上。人像兩手中空，兩臂環抱於胸前，像是原本抱著什麼東西一樣。

這尊巨大的立人雕像究竟象徵什麼身分呢？可能是主持祭神儀式的巫師，穿的是巫師的法衣，也可能表現一代蜀王的形象，還可能直接表現神靈本身，總之，他是三星堆古蜀國最具權威性的領袖人物。

乾杯

商

○ 亞醜鉞

這是商代的青銅器，名叫「鉞」，上面有「亞醜」兩字銘文，所以又叫「亞醜鉞」。

「鉞」是用來做什麼的呢？這是一種沉重、龐大的兵器，但不是誰都能擁有，只有身分地位崇高的王公貴族才能使用。於是，它便成為權力的象徵，重要的場合中，至高無上的王用它震懾臣民，上面塑造齜牙咧嘴、像人又像猛獸的形象，讓人一看就心生恐懼，不由得對擁有鉞的人頂禮膜拜。

所以呀！別看它微笑的臉和圓圓的眼睛顯得萌萌的，當時它可是令人害怕的。

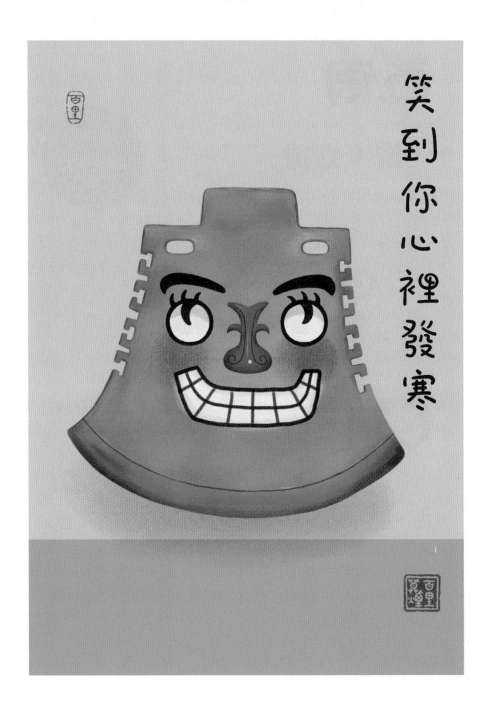

笑到你心裡發寒

西周

◯ 銅人立像

館藏地
寶雞青銅器
博物院

這件銅人和第二十頁的銅人都出土於陝西寶雞的魚國墓地，是西周時期的產物，距今約三千年。

它們姿勢奇特，臉長得很有特色，鼻頭隆起，眼睛突出，雙手握圓。

魚國是怎樣的國家，和西周是什麼關係呢？魚國人很可能來自現在的巴蜀地區，是非常勇猛好戰的民族。

舉啞鈴呀

西周

○ 銅人立像

館藏地
寶雞青銅器
博物院

魚國人跟隨西周的創始者周武王征戰，在打敗商王朝的戰爭中立下功勞，西周的王為了犒賞他們，便允許他們在國都附近，就是今天的寶雞一帶居住。

魚國人在此繁衍生息，漸漸的，受到周人的制度與禮俗影響。後來，因為對周王朝不敬，魚國漸漸衰落，消失在歷史的長河中。

動感光波

東周

○ 胡服俑銅器足

這是一件東周春秋時期的俑，發現於河北石家莊的中山王墓前，應該是盜墓者遺失的。春秋時期的中山國來自北方，是戎狄民族國家，當時，齊桓公的相國管仲就曾討伐過北方的戎狄。

這個人俑穿的衣服衣襟向左開，頭髮披散，綁著小辮，雙腿、雙腳赤裸著，著裝與中原地區不同。肌肉豐滿，充滿短小精悍的陽剛之氣，應該是一名勇武的中山武士。

妖
嬈

東周

○ 持劍武士木俑

這是一件戰國時期的木俑。

「俑」是什麼呢？古人認為人死後會進入另一個世界，為了使過世的人在那個世界仍然享受生前擁有的一切，永遠過好日子，親人會把他可能用到的所有物品一起埋入墓中。在一些地方，有地位的貴族死後，會強迫他的伴侶、僕役等殉葬，陪著墓主人進入死後世界。

然而，這種活人殉葬的方式太過殘忍，漸漸地就改用陶製或木製的人偶陪葬，這就是「俑」。我們現在看到這個拿著劍的武士俑，應該就是用來保衛墓室的。

是時候展現真正的技術了

秦

○ 跪射俑

這是一尊出土於秦始皇陵兵馬俑坑二號坑的跪射俑。

戰國末期，秦國出現一位雄才大略的君主——嬴政，他打敗其他六個諸侯國，統一全國，自稱為「始皇帝」。他的陵墓附近有一支用陶土製作的「軍隊」，這些俑人與真人同等身高，每個俑長得都不一樣，各司其職，共同組成一支龐大的軍隊。

跪射俑屬於其中的射手方陣，特別之處在於它是千餘尊俑裡出土時唯一完好無缺的。俗話說「天塌下來有高個子頂著」，原來，放置兵馬俑的坑道塌陷時，高大的站立俑承受破壞，底盤穩當的跪射俑因此得以免遭衝擊，完整地保留下來。

跪了，讚！

漢

○ 銅奔馬

這是一件來自漢代的銅馬，有一個廣為人知的名字——「馬踏飛燕」。你看這匹馬四蹄騰空，可見奔跑速度有多快，飛燕都被它踏在蹄下。

那隻飛燕不僅表現出馬騰空的姿勢，也猶如三角支架，使雕塑能穩穩立住。銅馬雖然靜止，但讓人一看就能想像到它在飛速奔騰著，耳邊彷彿響起緊湊的馬蹄聲，真是雕塑者的絕佳創造。

這個造型在一九八三年被確立為中國旅遊標誌，如果你去中國旅遊，有可能會在一些城市和景點看到它喔！

漢

○ 彩繪指揮俑

　　這是一件漢代初年的特殊兵馬俑，出土自長陵的陪葬墓。

　　兵馬俑，顧名思義就是行軍打仗的俑，說它特殊，是因為它不是一般的小兵。它處於隊伍最前面、正中央，比其他俑高大，而且伸手上指，意氣昂揚，是一位領導作戰的指揮官。

　　長陵是漢朝開國皇帝劉邦與呂后的合葬墓，劉邦的文臣武將都安葬在長陵周圍，這些墓被稱為陪葬墓。這件指揮俑就出土於其中一個墓葬，墓主人是漢初大將周勃、周亞夫父子，墓中隨葬數以千計的兵馬俑，似乎希望兩位將軍在另一個世界也能戰無不勝、攻城掠地。

你！

漢

○ 彩繪步兵俑

這是一件漢代的彩繪兵馬俑。

我們之前看過秦朝的跪射俑，了解到秦兵馬俑都和真人一樣高，每一尊都雕刻細緻，而且長得不一樣，製作非常精細。

雖然漢代初年距離秦朝的時間不久，但沒有延續這種兵馬俑的製作風格，俑變得只有真人的三分之一大小，面部不再細心雕刻，很多俑人長得非常相似。

可能是因為經過連年戰亂，漢初時，國家不太富裕，沒有能力製作大規模的俑，也可能秦朝的俑只是「公仔狂魔」秦始皇的個人興趣，畢竟在俑長達二千多年的歷史上，只有兵馬俑是真人比例製作的。

我
誰

漢

○ 樂舞伎俑

這是一件漢代的木俑。

俑有各種材質，陶製的最常見，也有鐵製、銅製，漢代還有不少木俑。

這件木俑乍看會覺得很抽象，沒有準確的面容，只能大致區分軀幹和手臂。

不是因為長時間的侵蝕損壞面部，也不是當時的工匠技術不足才雕不出細節，而是因為這件作品原本就只想表現一個身體動作，一個矯健且昂揚的人物形象，如同剪影一樣。

即使沒有準確的面龐，我們也能感受到它繃緊全身勁道的爆發力，製作者只用寥寥數刀，便把生命力注入其中。

國民健康操預備

漢

○ 奏樂木俑

這是一件出土於湖南長沙馬王堆漢墓的木俑。

南方出土的木俑比較多，這個五件俑組成一個小型樂隊，鼓瑟吹笙，彷彿正在進行一場音樂會演奏。

它們的身體扁平，頭非常大，手很小，身材不成比例，臉上沒什麼表情，顯得有些嚴肅，甚至愁苦。

這是漢代早期陶俑的普遍風格，不追求雕刻與真實的相似，工匠們往往不打草稿，胸有成竹，面對材料直接下刀，不講究反覆修改，這種直接反而使人物具有獨特神韻。

手短琴長

漢

○ 偶人俑

這個偶人俑出土於馬王堆漢墓。

前面提到的奏樂木俑與其他絕大多數俑人都位於墓室內，與墓主人離得很近，它們是為墓主人提供各種服務的僕役，例如奏樂木俑就是儀式或娛樂用的樂隊。

而這件人俑位於墓室外的墓道，身材高大，製作得非常草率，用木塊捆紮，外面敷滿草泥，雙臂張開，像是把守墓道的守護神，應是為了阻擋從外而來的災厄邪氣進入墓室，具有驅鬼、辟邪的作用。

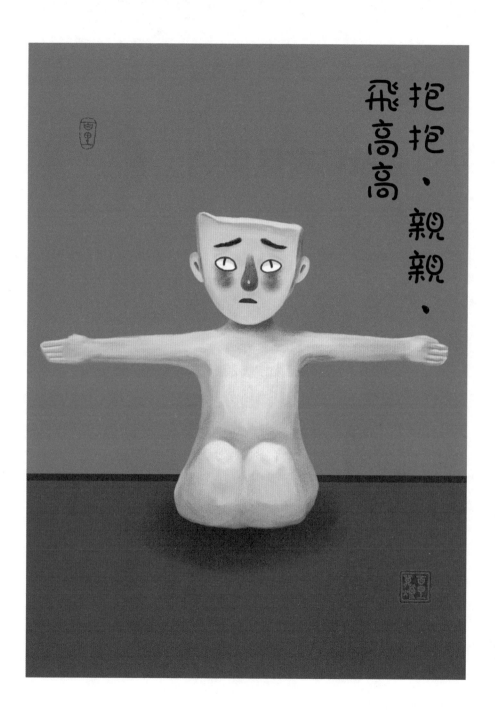

抱抱、親親、飛高高

漢

○ 陶繞襟衣舞俑

館藏地
徐州博物館

這是一件漢代的舞蹈俑。

這名舞者身體扭成「S」形，兩條胳膊誇張地彎曲著，寬大的袖子隨著舞姿飛揚擺動。

雖然做著如此大幅度的舞蹈動作，但臉上的表情端莊沉穩，顯得怡然自得。

這種極盡婀娜、張揚奔放、大開大合的舞蹈最能體現漢代風貌，看到這件陶俑就彷彿感受到那個時代的開放、大膽與朝氣。

不要碰我肩膀

漢

○ 彩繪樂舞雜技俑

館藏地
濟南市
博物館

這件雜技俑與其他陶俑組成一個宴飲場景。

這個不到五十公分寬的陶盤上，塑造了二十一個人物。中間是表演者，有揮動長袖、相對起舞的女子，有表演雜技和柔術的男子，還有一支吹笙擊鼓的樂隊；兩側的七個人是貴族，他們袖手而立，觀賞表演；右側的三人面前有兩個大壺，這是因為按照禮儀，貴族宴飲時都會放兩個用來盛酒的大壺。

這組場景中，多姿多彩、生動活潑的表演場面非常吸引人，反而使有特殊身分的貴族成為陪襯。

我沒有睡，
只是閉目養神

漢

○ 錯金銀說唱俑銅鎮

這件俑和第四十六頁的俑是一對漢代的銅鎮，造型是兩個說唱表演者。

「鎮」是什麼呢？漢代人在室內坐臥時，家具不像現在這麼高，都是比較低矮的床、榻。有時他們直接坐在地上，這些就座之處往往會鋪上席子，但起身和落座時衣服帶動席子，很容易使它捲起。為了防止這種情況，人們就用重物壓住席子四角，這個重物就是「鎮」。

漢

○ 錯金銀說唱俑銅鎮

漢代專門表演滑稽搞笑劇的說唱演員，被稱為「俳優」，滑稽戲與樂舞、雜技、馴獸、幻術等統稱為「百戲」，是皇室貴族和平民百姓都喜愛的表演藝術。

人們將這種形象塑造成俑，例如現在看到的這兩件，袒胸露乳，面貌奇特，張嘴嬉笑，似乎正在表演滑稽說唱。

笑容突然變態

漢

○ 銅踞坐俑

館藏地

廣西壯族
自治區
博物館

出土於廣西西林普馱糧站的一組銅俑，一組四件。

「踞坐」就是像這尊俑一樣兩膝著地，臀部坐在小腿上，在沒有高家具的漢代，古人往往這樣就座。這些俑身穿寬袖長裙，腳上穿著鞋，和漢代官吏的打扮相同。

考古發掘時，有一張棋盤與它們共同出現，這四件俑似乎正圍繞棋盤進行「博戲」——漢代中原地區流行的遊戲。然而出土地不在中原，而是在廣西西部的崇山峻嶺間，據說在漢代，這裡是句町古國的領地，可見當時句町深受漢文化影響，流行著中原地區的遊戲。

呼～

漢

○ 手捧鳥男侍俑

這是一尊漢代的侍從俑，捧著一隻鳥，挎著水壺，面帶微笑。

古代的俑很少表現一個有名有姓的個體，而是借助衣服、工具和隨身的物品表現一種職業或一種人群。

這件俑很明顯是侍從，這種角色在漢代的墓葬中負責照顧墓主人的起居。與此同時，漢代負責提供娛樂生活的樂舞俑數量大增，可見那時的人對死後之事的重視。

捧你在手心

漢

○ 陶彩繪女俑

館藏地

北京故宮
博物院

這是一件富有漢代韻味的女俑。

眉毛和眼睛都是用墨畫上去，眉目清秀，頭上裹著頭巾，既能把頭髮包住，又能保暖禦寒。

穿的衣服是曲裾深衣，漢代最為流行的服裝樣式，這種衣服縫製容易，穿著方便，既利於活動，又能嚴密地包裹身體，可以充分地利用布料。所以在漢代，上至王公貴族，下至平民百姓，都喜歡穿曲裾深衣，不僅日常穿，也在禮儀場合穿著。

淡定

漢

○ 雁魚銅燈

這是一件古人使用的燈具。

古人沒有燈泡，他們透過可燃物獲得光亮。在燈盤中放入易燃的蠟或油脂，點燃燈芯，光線就從中間的開口瀉出。

這件銅燈不僅造型優美典雅，構造上還有巧思，整個燈體，從魚身、雁頸到大雁的身體都是中空的。

燈火點燃後，煙霧和廢氣會沿著通道上升，最後進入大雁下方身體處。使用前在雁身裡裝一點水，還能稀釋廢氣，減少對室內環境的汙染，有環保的功效呢！

魚雁不絕

漢

○ 長信宮燈

這是一件燈具，雙手持燈的宮女造型。宮女寬大的衣袖自然垂下，與燈渾然一體。

內部構造和雁魚銅燈一樣，燃燒燈油產生的煙塵會進入燈的內部，不會汙染空氣。漢代時沒有像現在一樣的高家具，人們席地而坐，而這盞長信宮燈有四十八公分高，燈光從側面瀉出，剛好是人席地而坐時閱讀的高度。

這件宮燈出土於大名鼎鼎的河北保定滿城漢墓，這裡埋葬了西漢時期的中山靖王劉勝和他的夫人竇綰，「長信」是漢初太后居住的宮殿名，出現在燈身上，這盞燈因而得名。

燈光師已就位

漢

○ 當戶銅燈

這盞燈是半跪銅人的形象，上方的燈盤和下面的銅人是分別鑄造，再鉚合起來。

之所以命名為「當戶」，是因為燈盤外壁上的銘文有這兩個字。「當戶」是匈奴的官名，匈奴是漢代時生活於北方的游牧民族，銅人穿的就是匈奴的服飾。

衣服後部紮起，像長尾巴一樣垂在地上，與雙腿配合著支撐燈座不倒下，設計者借助這種獨特造型保持穩定，構思非常巧妙。

撐住

漢

○ 胡人形銅吊燈

館藏地
湖南省
博物館

這是一盞燈，樣式非常新巧，很少見。

它的燈盤是由一個匍匐狀的銅人托著，銅人也是中空，可以做為儲油箱使用。從屁股上的箱門向內添加燈油，燈油會透過燈盤旁的方形小口流到燈盤內，且可以保持一定高度，不會過滿溢出燈盤，很有實用性，加一次油可以用很久。

漢代時，隨著燈具的使用增多，擁有一件製作精良、造型獨特的燈就成為身分地位的象徵。

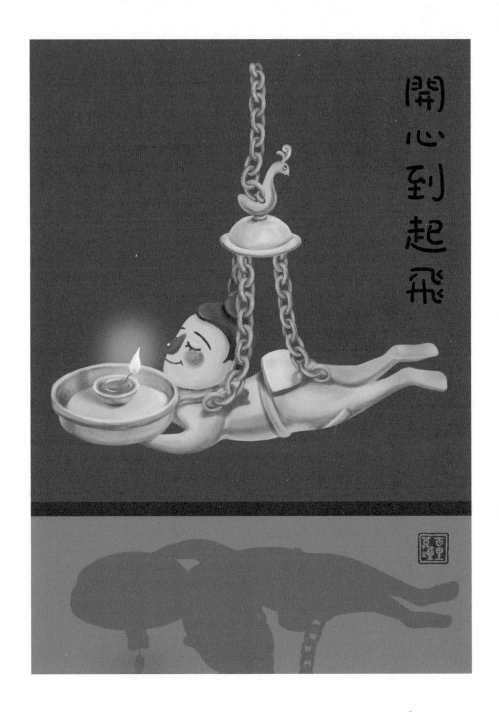

開心到起飛

漢

○ 鎏金雙人盤舞扣飾

館藏地
雲南省
博物館

這是一件出土於雲南、造型獨特的飾品。

這麼複雜的造型，使用者應該是當地有名望、有地位的人。這兩個跳舞的小人穿著同樣的衣服，身上佩劍，嘴巴微微張開。兩人腳下是一條蛇，咬著右邊人的右腳，尾巴被左邊的人踩住。這樣一來，兩個極富動感舞動著的人就被連接起來。

雲南出土的漢代文物中，蛇通常被用在飾品上，可能當時的人認為蛇象徵著大地。

快逃啊！

漢

○ 持傘銅俑

出土於雲南地區的銅俑人，頭髮高高束於頭頂，腰間還有圓形的扣飾，是漢代當地男性的形象。

人俑的雙手握成一個圈，應該是握著傘柄，所以稱為「持傘銅俑」，但現在傘已經與人俑分散，這種持傘俑可能是保護墓葬的守護者。

史書上說雲貴高原的滇池附近曾有一個古國，被稱為「滇人」，他們沒有文字，但青銅工藝非常發達，後來漢武帝占領這裡，將其納入統治版圖。

要飯中

漢

○ 三枝俑燈

出土於雲南地區的器物，現在的雲南是中國少數民族最多的一個省，而在古代，這裡一直聚居著少數民族群體。

這個銅燈的主體是一個穿著漢人服裝的男性，兩臂伸開，雙手各舉一個燈盤，頭上還頂著一個。人俑被塑造得非常精緻，眉毛和短髭鬚都被細緻地線刻出來，頭上還塑造出束髮的絲帶和額前的小髮髻。

俑人雖然穿著漢式服裝，但跪俑卻是少數民族常見的題材，可見當時中原漢族和周邊少數民族的交流融合。

照亮你的美

漢

○ **俑座陶燈**

前面看了很多銅製的燈具，這件則是陶製的，出土於廣西壯族自治區東南部的貴縣（今貴港市）。

這是一個裸身蹲坐的大漢，深目高鼻，臉上刻畫有落腮鬍，身上刻畫有體毛。這個粗壯的大漢兩手放在膝蓋上，乖巧地坐著，甚是可愛。

西漢中後期以來，「海上絲綢之路」開啟，在南海，東、西方經貿頻繁，有不少西方人進入嶺南地區，不僅有來這裡做生意的商人，還有身懷絕技、表演魔術雜技的藝人。廣西的漢墓中出現很多胡人形象的俑，見證當時海上絲綢之路的繁盛。

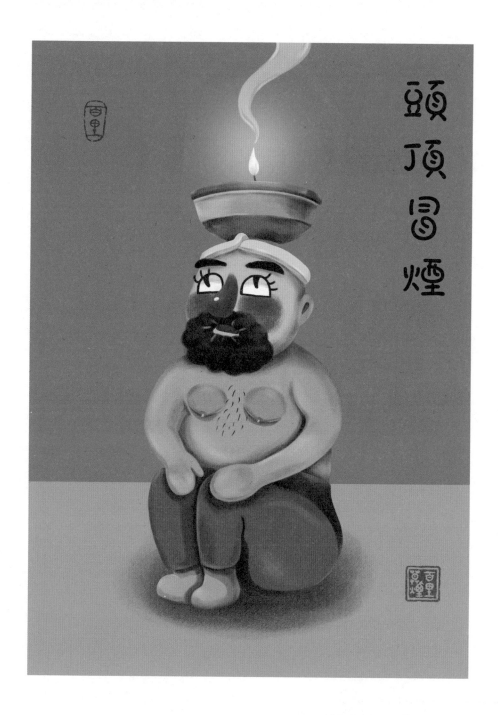

頭頂冒煙

漢

○ 彩繪石騎馬人

館藏地
中國國家
博物館

這是一件石雕,騎馬的人面露微笑,馬兒張口齜牙,似乎在微笑。

騎馬人的穿著日常休閒,左手提著一壺酒,右手拎著兩條魚,似乎是家有喜事,坐在馬上喜滋滋地笑著。馬兒體型健碩,腰長腿粗,大眼長耳,長尾及地,步態輕鬆,緩緩而行。騎馬人側臉嬉笑,像是開開心心地買魚和酒,在回家的路上和人打著招呼。石雕雖然比例失調,看起來拙氣十足,但極為傳神地表現出淳樸的生活氣息。

漢代的馬俑總是配合著宏大的戰陣,表現戰馬的威武矯健,像這樣表現普通生活題材的很少見,可說是非常珍貴。

駕
！

漢

○ 跪式陶俑

這是一尊胡人武士俑。

身形高大，頭上戴著一頂武士帽，手裡握著一柄斧子，舉到胸前，正怒目注視著前方。俑的背後刻著「此人皆食大倉」六個字。「倉」就是糧庫，這類形象在漢代的墓葬中經常出現，希望逝者在另一個世界有享用不盡的食物。「皆食大倉」表現出當時人們追求的富足生活，希望糧食豐收、糧倉滿盈的世俗願望。

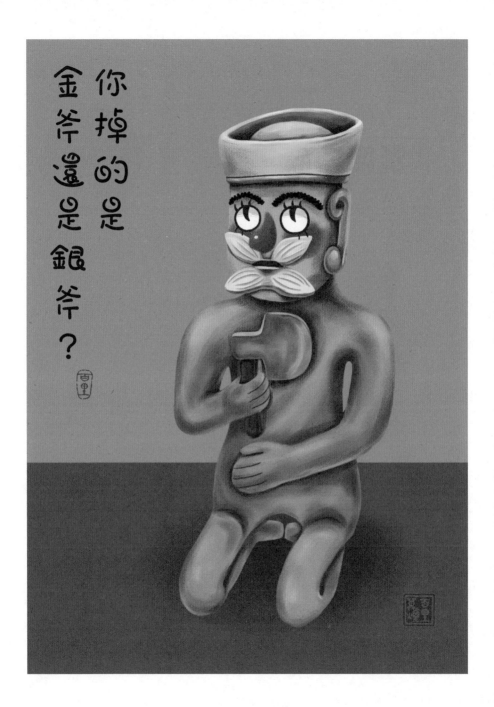

你掉的是金斧還是銀斧？

漢

○ 彩繪陶俑

漢代是中國古代發展延續四百多年的大王朝，前期定都於長安（今西安），被稱為西漢，後期定都於洛陽，被稱為東漢。前面看到的都是西漢文物，接下來要進入東漢時期，來看看發生什麼變化。

西漢初期流行的兵馬俑、儀仗俑已經消失不見，負責照顧墓主人生活的侍俑、守衛墓室平安的護衛武士俑、提供娛樂的樂舞百戲俑和負責家庭勞作的操作俑出現愈來愈多，可見人們的關注點發生變化，愈來愈注重日常生活。另外，人俑的面龐愈來愈立體，神態變得豐富起來，姿態變得動感。

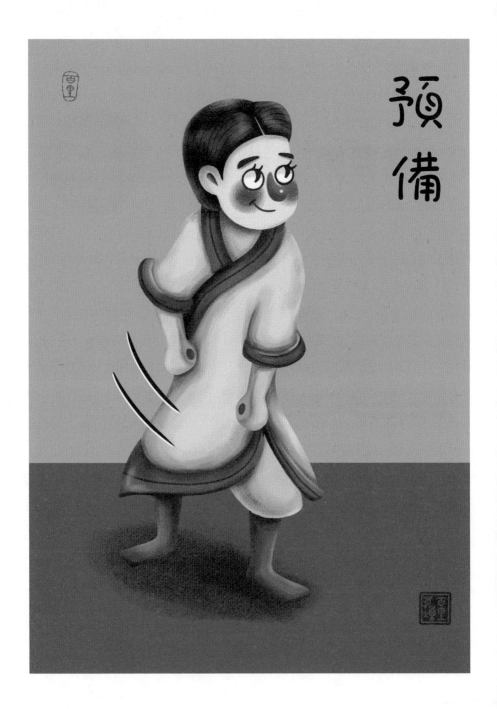

預備

漢

○ 觀賞俑

館藏地
四川博物院

這是東漢時期的一件觀賞俑，出土於四川地區。

西漢時期，四川地區出產的俑非常少，而到了東漢，尤其是中晚期，這個地區陶俑的數量和種類驟然增加，還出現很多獨特造型，俑的風貌和西漢時期及其他地區都不同。

例如這件俑，不像中原地區的那樣正襟危坐，而是東倒西歪、衣衫不整，像酒宴上喝醉的人。可能是墓主人或賓客，身分地位較高。以下將連續看到東漢時期四川地區的俑，一起來感受它們獨特的魅力吧！

漢

○ 擊鼓說唱俑

這是一件漢代的說唱俑，出土於四川。它開懷歡笑，正在手舞足蹈地表演著。

在漢代，說唱、雜技、魔術這類表演被統稱為「百戲」，非常受歡迎，這類表演者的形象常出現在墓葬中。

這件陶俑姿態誇張，神情活靈活現，可謂是漢代說唱俑中的「明星」，甚至被譽為「漢代第一俑」，看著它，你能不能想像出其表演時的精彩畫面呢？

嘵嘵，
Check it out!

漢

撫琴石俑

館藏地
重慶
中國三峽
博物館

這是一件石製的俑，正在彈奏樂器，同樣出土於四川地區。

這種表現彈琴的俑是四川地區的特產，其他地區很少見。這位演奏者身體微微向後仰，兩隻袖子飛揚起來，似乎正彈得興起，全身都舞動起來。放在腿上的樂器有可能是瑟、琴、箏，這種撫琴俑總是與吹笛俑、擊鼓俑、舞蹈俑同時出現，表現一場載歌載舞的集體表演。

滄海一聲笑

漢

○ 胡人吹笛俑

這是漢代的吹笛俑，出土於川渝（巴蜀）地區。

歷史上記載，東漢時期的靈帝喜歡當時的北方少數民族文化，包括他們的服飾、樂器和舞蹈，引得首都貴族爭相效仿。觀賞胡人樂舞，就是北方少數民族的歌舞表演成為一種時髦的風尚。

漢代的笛子是豎著吹的，不同於現在的笛子是橫著吹。這種樂器在東漢時期的川渝地區非常流行，於是這種吹笛的造型也進入墓葬中，它們與其他歌舞俑一同構成宏大的表演場面，為墓主人吹奏婉轉動聽的樂曲。

寶寶不睏

漢

○ 撫耳俑

這一件撫耳俑，頭戴簪花，面露微笑，左手上舉於耳畔，神情很是陶醉，小姊姊正在做什麼呢？

這是川渝地區獨有的一種墓俑，總是與演奏俑和舞蹈俑一起出現，所以推測也是表演團隊中的一員，是歌唱俑，就是樂隊的「主唱」。

做出單手上舉的動作，應當是為了更好地控制音色和音準。除此之外，歌唱俑不像演奏俑手拿樂器，也不像舞蹈俑做出優美的舞姿，製作陶俑的工匠為了表現出歌唱者的獨特身分，選擇這種特殊的動作來指示人物身分。

大聲點，我聽不到

漢

○ **陶舞俑**

館藏地
四川博物院

這是一件東漢時期的舞蹈俑。

還記得之前看過的西漢的舞蹈俑嗎？（見 p.40）它們長袖飄飄，身體彎成「M」形，臉上表情端莊嚴謹，正在表演宮廷雅舞。而這裡看到的東漢舞蹈俑就不同了，它們的舞姿自由隨意，表情輕鬆詼諧，表演的是民間雜舞，彷彿正在一場家庭宴會上自娛自樂，載歌載舞。

四川地區的俑往往是這樣，表現出一派樂觀自由、詼諧瀟灑的氣質，讓人一看就能感受到愉悅開心的氛圍。

好嗨喲！

漢

○ 吐舌執蛇鎮墓俑

館藏地
四川博物院

這是一件造型奇特的鎮墓俑。

鎮墓俑，顧名思義就是鎮守墓室的，怪異奇特的外形就是用來抵禦外來災邪，保證墓主人的安寧。

這件俑好似小怪獸，一雙招風耳，吐著舌頭，一手抓著蛇，一手拿著斧子，旨在發揮震懾作用。

略～

漢

○ 持箕陶俑

　　這件俑表現的是一位拿著勞作工具的婢女。

　　東漢時期，出現很多大型莊園，大量婢女被貴族、富裕家庭雇傭，她們雖然是家裡的下人，卻衣著光鮮，生活體面，體態豐滿。

　　例如這位美女，手裡拿著箕和掃帚，明顯正在工作，但仍要頭戴簪花，打扮得美美的，臉上笑容洋溢。四川地區的陶俑總是這樣，充盈著一種發自內心的喜悅和歡樂，讓人感到一種生機勃勃、健康向上的力量。

家政婦女王

漢

○ 陶狗俑

這是一件動物俑，是一隻看家狗的形象。

早期出現在墓葬中的動物俑，大多是用於作戰的戰馬，或是駕車的牛或馬。而東漢時期的四川、重慶地區，沒有發生過大規模戰爭，社會和平安定，人們把重心轉向日常生活，這時的墓葬中出現的動物俑更多的是家畜動物。

與現代人一樣，漢代人養狗主要是為了讓牠們看家護院，幫助主人放牧狩獵，也做為寵物飼養。

單身狗求撩

三國

○ 提魚俑

東漢王朝滅亡後，天下進入混亂的戰爭局面，最終魏、蜀、吳三國各占據一片領土，成為這一時期最主要的政權，歷史進入「三國時期」。這是三國時期蜀國的一件俑，身穿及地長袍，手中提著兩條小魚，明顯是烹飪前去採購的樣子。

中國吃魚的風俗由來已久，而西南地區的民眾喜歡當地特產「丙穴嘉魚」、「黃魚」、「鯉魚」和用來做醬料的「武陽小魚」。出土這件俑的墓葬主人可能很喜歡吃魚，希望死後也能享受魚肉的美味。

做一條有夢想的鹹魚

三國

○ 樂舞陶俑

這件俑和第九十八頁的俑都是三國時期蜀國的樂舞俑。

東漢末年分三國，戰亂不斷，老百姓的勞動生產和生活都受到很大影響，陶俑製作走向衰落。

東漢陶俑集中出現的四川地區，隨葬陶俑的墓葬愈來愈少。然而在四川忠縣塗井的一座墓葬中，偶然發現豐富的隨葬陶俑，我們看到的這兩件就出土於那裡。

來嘛！又不會吃了你

○ 樂舞陶俑

　　這兩件俑一個舞蹈，一個彈琴，它們的眉毛中間都有一種特別的圓突，這種形象源於佛教，是佛祖特殊面相的一種，稱為「白毫相」。

　　東漢時期，佛教從天竺（今印度）傳播到中國，當時的人們對這種外來宗教不是很了解，就把它看作神仙道術的一種，也把佛的某種特點加在富有生活氣息的樂舞俑上，或許是想借助神仙之力得道升仙。

睡吧

ｚＺＮ

 **三國**

○ **青瓷庖廚俑**

出土於三國時期的東吳，是一個庖廚俑，就是做飯的廚師，它正在宰殺面前的一條魚。

之前看過各種材質的俑，銅的、木質的、石頭的，最多的是陶製的，然而這件卻是瓷器。瓷器使用的土質與陶製品不同，而且會在器物表面塗一層釉，讓它看起來更加晶瑩透亮。

東吳時期，湖南地區開始大量製作瓷器，出現湘陰窯、長沙窯、衡州窯等重要瓷器產地，湖南的墓葬中瓷器占所有隨葬品的八成，可見瓷器在當時的日常生活中被廣泛使用。

西晉

○ 瓷男俑

　　魏、蜀、吳三個國家分立，互相攻擊的情況持續幾十年，最終統一天下的是掌握魏國實權且改國號為「晉」的司馬氏。

　　我們跟隨歷史的車輪來到晉代，這件俑和第一〇四頁的俑就是出土於南京地區的晉代墓葬，是瓷製的俑。晉代之前的南京地區，甚至說整個長江中、下游地區，俑都很少見，到了晉代才出現少量的俑。

嚇死寶寶了

西晉

○ 瓷女俑

館藏地
中國國家
博物館

第一〇二頁的男俑形象應該是墓主人，應是一位地方官，這件女俑應該是家僕。這兩件俑身材短小，表情有些僵硬，身體直上直下，沒什麼線條，可見當時這個地區俑的製作還不是很成熟。

無言……

西晉

○ 青瓷女俑

這是一件晉代的青瓷女俑，頭髮向後梳成小髻，戴著耳環，穿著對襟寬袖的及地長裙，雙手交叉，腰上有繫成蝴蝶結的帶子。這件俑的穿著是西晉時期的流行款式，衣服寬大，鬆鬆地繫著衣帶，髮型很簡單，只是向後一梳。

西晉時期，浙江的紹興、上虞、餘姚、蕭山這些地方有著發達的製瓷業，這件青瓷可能來自這些地方。由於瓷質的俑很少被發現，我們可以推測出土這件俑的墓葬，可能屬於一個身分地位很高的人。

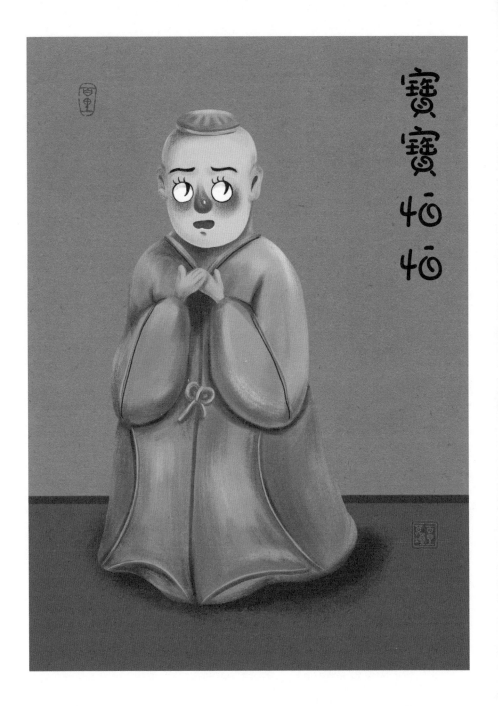

寶寶怕怕

西晉

○ 歌唱俑

　　這是一件西晉時期的歌唱俑。

　　晉代前期定都洛陽，稱為「西晉」，後期定都建康（今南京），稱為「東晉」。西晉之前的三國魏時期，魏文帝下令改革漢代的厚葬制度，推行薄葬，就是簡單辦喪事，不再允許墓葬中放入大量隨葬品。自此陶俑製作便衰落了，又因為三國時期連年戰亂，到了西晉時，陶俑隨葬雖然有些復甦，但製作肯定不如漢代豐富多變、生動傳神。

小城故事多

西晉

○ 辟邪銅燈

館藏地

湖南省
博物館

這是西晉時期的一盞銅燈。

所謂辟邪,是一種人們想像的神獸,生有一對翅膀,形象可能來源於古代傳說中的天祿、窮奇、飛廉等神物,也可能取材於西方來的動物,例如獅子。這種神獸在魏晉南北朝時期大量出現,這一件的造型更像老虎。

吃雞

東晉十六國

○人物俑

這件陶俑是東晉時期的，之所以是現在這樣沒有手，與製作方法有關。

當時流行的製作方法是陶俑的大部分身體用陶土燒成，只留下雙手末端兩個洞。工匠再用木頭雕成兩隻手，放進兩個洞裡。木質的手上還有道具，可能是兵器，也可能是日用品。

經歷千年滄桑，木手和手中的道具早已朽爛，只剩下俑身主體，給人一種「剁手」俑的錯覺。

再貴就剁手

東晉十六國

○ 陶鎮墓俑

館藏地
四川博物院

雖然西晉的掌權者控制了中原的大部分領土，但到了東晉時期，國土萎縮，只剩下江南地區。北方和其他地區，先後出現二十三個小國，絕大多數都是少數民族政權，其中有十六個比較重要的，史稱「十六國」。

這件俑出土於成漢時期就是其中一個，成漢是由少數民族李氏建立，以成都為國都，存在了四十多年。這種長得像外星人的俑只在成漢時期出現過，可能與這個民族的信仰有關。這種俑被放置在墓道中，守護墓主人的安寧。

我怎麼這麼可愛

東晉十六國

○ 彈琴俑、歌唱俑

館藏地
中國國家
博物館

　　十六國時期，匈奴、鮮卑等北方民族進入中原，連年戰亂。因為民族的雜糅、政權的更迭，墓葬的形制沒有什麼規範，所以陶俑出現得不多。我們看到的這一組出土於陝西地區，這些樂俑梳著當時最流行的十字髻。

　　這種左右對稱的大髮環需要很多的髮量，即使是不為掉髮所困擾的古人，僅用自己的頭髮也很難梳成。於是古人使用假髮，然而假髮是用真人的頭髮製作，非常昂貴，買不起假髮的女子會抱怨自己「無頭」，出席重大場合時還要找別人「借頭」，可見這種造型在當時多麼流行。

嚇到吃手手

南朝

○ 磚座舞蹈人物青銅俑

東晉十六國之後，進入南北朝時期，南方連續出現宋、齊、梁、陳四個朝代，北方被鮮卑族政權北魏統一，南北對峙的局面持續一百六十多年，所以被統稱為南北朝，首先來看幾件南朝的俑。

這件細長的銅俑出土於湖南，穿著上衣下褲，小袖短裝，明顯是胡服，就是北方少數民族的穿著。魏晉之後，北方的少數民族占據中原地區，很多北方人南下，帶來他們的穿著習慣；到了南北朝時，胡人與漢人的往來更加密切，所以身處內地的湖南也開始流行穿起胡服。

南朝

○ 武士俑

館藏地
南京博物院

這是來自南朝的武士俑。

戴著頭盔，穿著當時流行的交領袍，一手握著盾，推測另一隻手本應握著矛，但武器已經沒有了。不過我們仍然能從拿著盾牌的動作中得知它的身分，這位武士深目高鼻，長得像北方少數民族，這是因為當時的南朝，雇傭北方人做自己的護衛極為流行，是一種彰顯身分的行為。

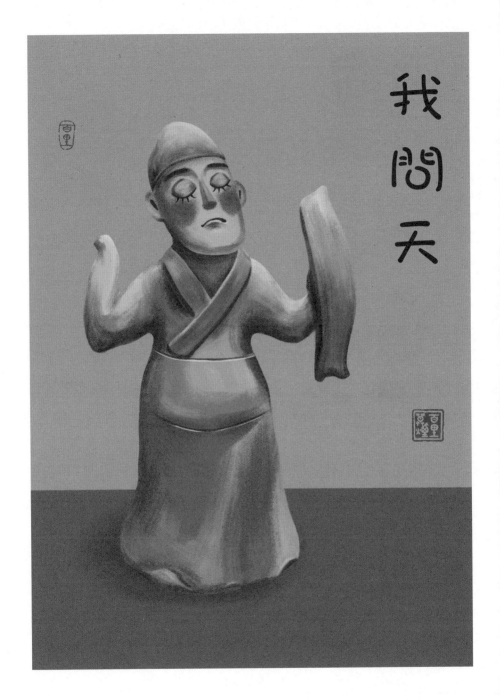

我問天

南朝

○ 人騎獸形銅燈

這是一件辟邪銅燈，與前面西晉時期的辟邪相比，這隻神獸樣子有些不同。

這是因為辟邪是想像中的神物，沒有固定形象，所以造型比較多變。南朝時期，辟邪形象更為普遍，帝王貴族的陵墓前往往佇立著巨大的辟邪石雕，用來震懾災邪，保護墓室。

這件銅燈不像之前的燈具，有一個像碗或盤似的容器來盛燈油，只在這長臉人物頭頂帽子中有一個插孔。這是因為此時的燃料發生變化，東漢時期出現蠟，晉代以後蠟與燭融合，變成接近現在蠟燭的樣子，燃料不再像之前是流動的液體，就不需要儲存油膏的空間了。

衝啊！

北朝

○ 鎮墓武士俑

館藏地
盛樂博物館

接下來將視線轉向北朝。

這是一件來自內蒙古盛樂的武士俑，統一北方的拓跋氏鮮卑政權，他們最早的統治中心就在內蒙古盛樂地區，全面占領中原前，那裡就是鮮卑的都城。

這種鎮墓武士俑在墓中總是成對出現，發揮鎮墓辟邪的作用，保護墓主人不受侵擾。它們比一般的武士俑要高大，製作更為精細，頭、身、手分開製作，再插裝組合而成。這件俑頭、手很大，身材比例失常，可能是技術不成熟所造成。

北朝

○ 彩繪舞樂陶俑

這一組俑與剛才看過的武士俑出現在同一個墓葬，八件俑頭戴風帽，做出吹拉彈奏和舞蹈的動作，正在上演富有民族特色的歌舞。

盛樂地區在拓跋鮮卑早期時做為都城長達一百四十多年，然而只有這一座墓裡出土陶俑，這是因為鮮卑族沒有製作和陪葬陶俑的習俗。隨著鮮卑人逐漸深入中原，受到漢人習俗的影響，開始製作陶俑，而出土陶俑的這座墓葬恰好是盛樂北魏墓中時代較晚的。

把手放在空中甩

北朝

○ 舞俑

這是一件來自北魏時期的俑。

拓跋鮮卑統一北方後,將平城(今山西大同)做為都城,建立北魏王朝。北魏孝文帝拓跋宏遷都洛陽前,平城做為都城持續約一個世紀,有人把這一時期稱為「平城時代」。

這一時期民族雜糅,來自北方的鮮卑族雖然受到漢族和其他民族影響,卻仍保持著自己的著裝和習俗,例如現在看到的這件舞蹈俑,頭戴風帽,脖子上戴著一串瓔珞。這種帽子方中帶圓,頂部微微下凹,就是典型的鮮卑族穿著。

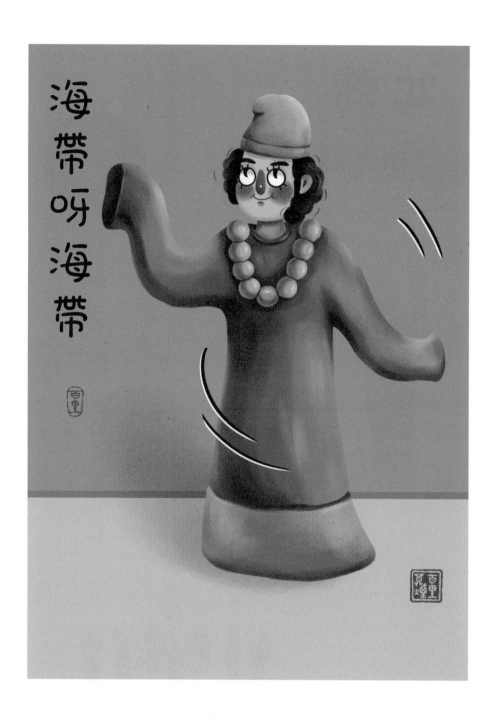

海带呀海带

北朝

○ 雜技俑

這組彩繪陶俑展現出一場雜技表演，正中央的人進行著一種叫「緣橦」的表演，深目高鼻的胡人正抬著頭，額頭中間頂著一根木棍，兩個小孩子在木棍上做驚險表演；其餘六人圍著表演者，聚精會神地觀賞，還鼓掌喝彩。

中國雜技源遠流長，西漢時期開始興盛，大量吸收外來表演形式，節目更豐富，技巧更高超，成為當時社會的重要娛樂項目。北朝時期中亞和南亞的藝術家大量進入中國，使雜技表演更加流行。

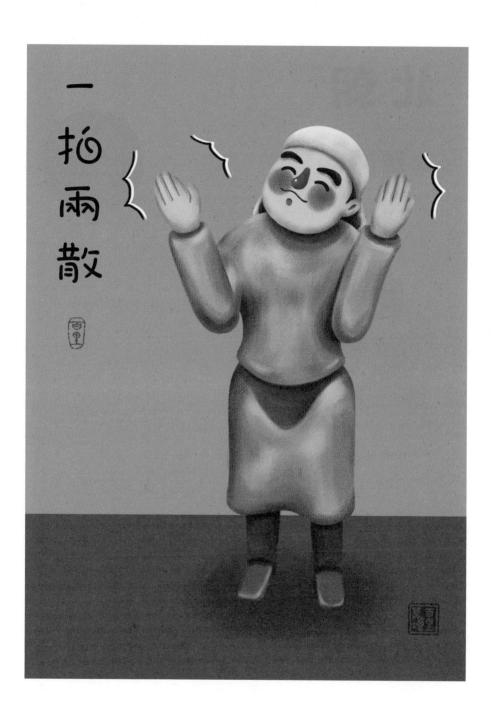

一拍兩散

北朝

○ 執盆俑

館藏地

大同市
博物館

這是一件出土於北魏平城時期的帶釉俑，這一時期的俑很少帶釉，而這一件俑上有黃綠色的釉，採用南方的技術。

這件俑不同於前面看到的幾件，不戴風帽，穿的是交領長襦，看起來是個漢人形象。

平城時期的墓葬中，雖然鮮卑人的形象居多，但漢人和胡人的造型也不少，說明那時連年戰亂，人們為躲避戰爭不斷遷往他鄉，民族之間出現雜糅融合。

求斗肉

北朝

○ 武士俑

這是一件平城時代的陶俑，出土於山西大同。

這時期的武士俑基本不是表現上陣打仗的士兵，而是表現隨身護衛的武士。既保護主人安全，也做為出行時的儀仗，烘托主人的威儀。

大同地區發現的墓葬雖多，但有俑的卻不多，而這些墓的墓主人絕大多數不是鮮卑人，而是漢人。可見在這一時期，隨葬墓俑這樣的習俗還沒有被鮮卑人接受，平城時代的北魏對於漢人文化還是有一些抵觸。

覺得厭世

北朝

○ 彩繪雙丫鬟陶女俑

平城時代持續約一個世紀，北魏遷都至洛陽，又過了幾十年，政權混亂，北魏分裂成東魏和西魏，這件女俑就來自這一時期。

北朝女性的家庭地位較高，在社會上比較活躍，比起之前漢代和魏晉時期女俑內斂、謙恭的氣質，北朝的女俑顯得格外自由奔放，富有個性。

例如這件女俑，當時流行女性穿男裝，她也穿著男裝，且梳著當時流行的「雙丫髻」，「丫頭」、「丫鬟」這些稱呼就源於這個髮型，指代未出嫁的女孩或婢女。

米奇的微笑

北朝

○ 彩繪武士俑

這是西魏時期的一件武士俑。

西魏以長安（今西安）為都城，持續了二十一年。

這件俑面目猙獰，聳著肩，鼓著肚子，肌肉壯實遒勁，雖然是做著扭腰彎腿的動作，卻讓人感到一種威猛的氣魄。

北魏在遷都洛陽後，大力推行漢化，接受很多南方的藝術風格和製作技藝，習俗向漢人靠攏。北魏滅亡，到了西魏時期，掌權者想要擺脫舊的漢化影響，就出現這種突顯鮮卑特色的作品。

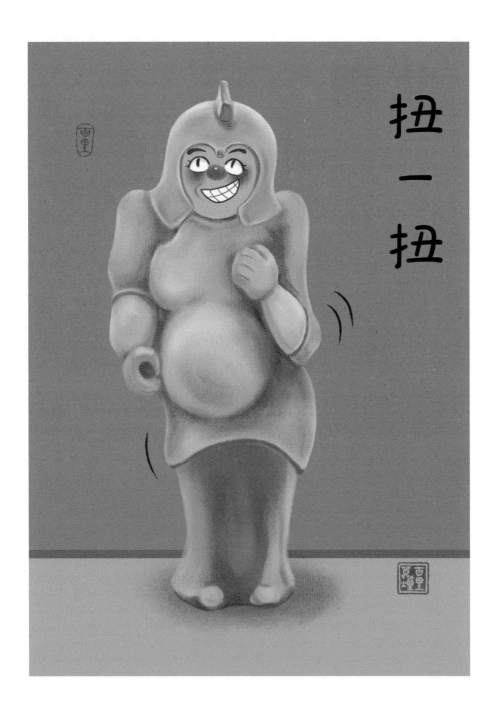

扭一扭

北朝

○ 辮髮騎俑

西魏和東魏從北魏分裂而來,都只持續很短的時間,就分別被北周和北齊取代。其中北齊國力強盛,定都在河北鄴城,同時山西晉陽成為陪都,其重要性甚至超過鄴城。因此,山西也發現不少北齊貴族的墓地。

例如現在看到的這件騎馬俑,就來自北齊時期的山西地區。這裡的居民以打仗為業,基本上都是胡人或胡化的漢人。這件俑將頭髮結為辮髮,就是一種鮮卑族的習俗,本來在孝文帝的改革中被廢除,但此時又重新流行起來。

防疫期間請戴口罩

北朝

○ 胡人舞俑

這是北齊時期的胡人舞俑。

這位老者身穿紅色胡服，笑容滿面，兩袖揮舞，正在盡情歌舞。

墓室內，這件俑位於墓主人棺槨的正前方，恰好位於墓室的中軸線上，被其他俑簇擁著，而且製作精良，比其他俑動作更加誇張、神態更加生動，顯然有特殊身分。可能是引導喪葬隊伍的巫師；可能是樂舞表演中的領舞，扮演來自西域的仙人，正在為主人祝壽。

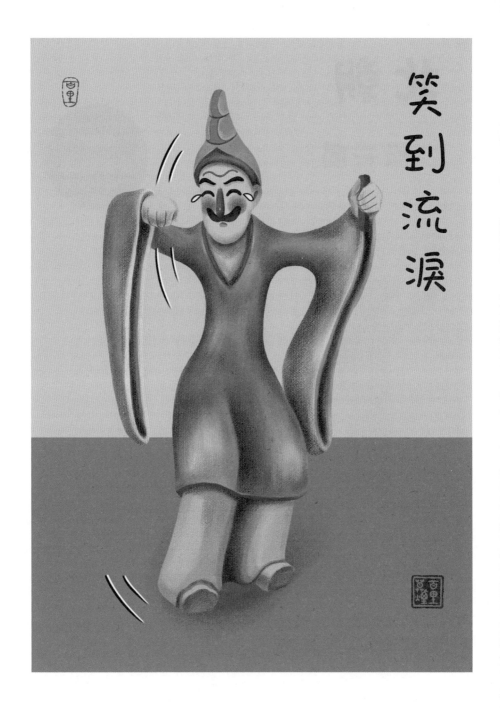

笑到流淚

北朝

○ 役夫俑

這是出土於山西的北齊陶俑。

出土這件俑的墓葬屬於一位叫婁睿的北齊鮮卑貴族，位高權重、權傾朝野。這座墓中的陶俑造型渾圓，有著明顯的鮮卑族特徵。

北魏滅亡後，少數民族的統治者對漢化的習俗和文化非常排斥，所以恢復鮮卑的姓氏、服裝和語言，這種行為也體現在陶俑的製作上。身材豐滿魁梧、表情強悍凶狠成為這一時期陶俑製作的潮流。

Taxi

隋

○ 騎馬女陶俑

這是一件隋代的騎馬女陶俑。

自兩晉、十六國以來至南北朝，中原大地持續著動亂與分裂，直到隋文帝統一全國才停止紛爭。自北朝以來，女性在家庭中愈發重要，地位逐漸上升，女性騎馬的形象開始出現，且在隋、唐時期風靡一時。

隋、唐之前的騎馬人俑多為男性，有將軍、武士、文吏、伎樂、狩獵等形象；隋、唐之後，女性騎馬形象不見了，這是因為宋代以來社會思想使女性受到種種約束，裹小腳蔚然成風，女性以擁有三寸金蓮為最美，平日大門不邁，二門不出，根本無法駕馭馬駒。反倒是隋、唐時期騎於馬上的女子，獨見一種颯爽風流。

拍馬屁

唐

○ 持杖老人陶俑

持續一百六十年的南北朝，最終被隋朝取代，全國統一，短暫的隋朝之後迎來強大開放的唐代，接下來讓我們透過陶俑，感受一下大唐雄風吧！

這是一件唐代初期的陶俑。

唐代風氣雄健，崇尚豐滿，然而社會審美不是從一開始就是這樣。例如現在看到的這一件，俑身上下均勻，沒有色彩。不過，我們看到俑的寬大衣袖是自然垂下，此俑還穿著一條收口條紋褲，顯得生機勃勃，甚至很新潮時尚呢！

尷尬又不失禮貌的微笑

唐

○ 唐三彩梳妝女俑

這是一個正在梳妝的女俑。

左手舉在面前，右手伸指正要妝點額頭，我們從動作推測，左手應該還拿著一面鏡子，正在對鏡梳妝，面露微笑，顯得自信從容。

它梳著半翻髻，身穿小袖齊腰襦裙，外穿繡花半臂，裙褶處還裝飾著柿蒂花，這些都是初唐流行的打扮。上身穿的這種短袖上衣受到古代西域國家龜茲的影響，這種穿著搭配一直流行了一百多年，後來女性的服裝愈來愈寬大，這種式樣就不再流行了。

你就是個笑話

唐

○ 彩繪仕女俑

館藏地

陝西歷史
博物館

這是一尊唐代的仕女俑。

你們看，它的表情非常生動鮮活，微微仰著頭，不看向前方；身材豐滿，正是唐代流行的審美。

唐代社會風氣開放，女性也參與騎馬、狩獵、打球和郊遊等活動，社會地位大大提升。女性的衣著、髮式和妝容受到各種外來文化的影響，多姿多彩，大膽奔放。這件女俑梳著雙垂髻，頭髮綰成兩個小球垂在耳邊，唐代的年輕女子大多是這種裝扮。

紅包拿來

唐

○ 彩繪陶仕女俑

館藏地
震旦博物館

　　這是一件盛唐時期的女俑，你看那豐腴的身形，微側的體態，上揚的面龐，無不鮮活地傳達著盛唐時期女性的自信從容。

　　梳著盛唐式高髻，兩鬢的頭髮緊貼面部，面龐豐腴，眼眉修長，口鼻小巧；衣服極為寬大飄逸，脖頸和一小片胸脯都袒露出來。

　　盛唐時流行這種寬鬆輕薄的袒露裝，可見這一時期相對開放、自由的社會環境，使女性敢於大膽追求服飾的自然之美。

有蟲啊！

唐

○ 彩繪泥塑跪坐俑

館藏地
新疆
維吾爾自治區
博物館

這是一件出土於新疆地區的女俑。

大家有沒有被它臉上的「腮紅」吸引呢？原來與現代女性一樣，古代女性出門或有重大場合時都要化妝，讓自己變得美美的。

古人化妝很繁瑣，大致有七步：一敷鉛粉，二抹胭脂，三畫黛眉，四貼額黃（或花鈿），五點面靨，六描斜紅，七塗脣脂，精緻程度不輸現代女性。

這件女俑的眉心貼的便是花鈿，就是剪好的花樣。

我就靜靜地看你裝傻

唐｜彩繪泥塑跪坐俑 157

唐

○ 哭泣陶俑

這是一件表現哀傷情緒的女俑。

只見它彎著身子，正在抱膝哭泣，面容哀傷，似乎是在哀悼墓主人。

這種表現哀悼的俑在漢代就出現過，不過那時是用前仰後合的誇張動作來表現，唐代則像這件俑一樣，表現得更加內斂、含蓄。

我們從這種變化發現，古代的陶俑製作愈來愈精細化，不僅能傳達出人物的身分和姿態，還能表現人的情緒和狀態。

唐

○ 陶樂俑

館藏地
南京博物院

　　這件俑和第一六二頁的俑是兩尊初唐時期的奏樂俑，一人擊鼓，一人吹奏排簫，展現出一種演奏場景。

　　它們都梳著初唐時流行的髮型，擊鼓者是螺髻，吹簫者是半翻髻。

　　這兩件俑的頭看起來有些大，既有北方的剛健凝重感，又有南方的清秀柔媚感，這是因為唐代時全國統一，南北方文化得以交流融合，所以陶俑製作糅合了南北方的特點。

遵
命

唐

○ 陶樂俑

　　唐代早期，國家剛結束戰亂，百廢待興，經濟狀況的局限使得有陶俑的墓葬不多。

　　隨著社會的繁榮，人們對於墓葬的投入心力與金錢愈來愈多，往往超過政府規定的限制，隨葬品愈發豐富起來。

窮到吃土

唐

彩繪雙環望仙髻女舞俑

館藏地
陝西歷史
博物館

看這件女俑多美啊！梳著高聳複雜的髮髻，穿著絢麗的服裝，讓人不由得猜想它是當時的一位舞蹈家，正準備表演代表作。

頭上梳的這種髮髻叫做雙環望仙髻，是唐代著名髮型。這種髮髻非常高，需要約六小時才能做出這種造型。如果沒有足夠的時間，或者自己的頭髮不夠多，就要事先做好假髮髻，需要時再戴上。這種戴假髮、用假髻的行為在唐代可算得上是一種時尚。

完美

唐

○ 舞女俑

　　這是一件唐代的舞蹈俑，表現出舞者翩翩起舞時的一個瞬間。

　　唐代的舞蹈繼承之前的傳統舞蹈，融會少數民族和外國樂舞的成分，例如當時流行的「胡騰舞」和「胡旋舞」就來自西域。

　　唐代有不少詩人寫過有關舞蹈的詩句，例如白居易的「飄然轉旋回雪輕，嫣然縱送游龍驚」。

　　唐代的舞蹈分為豪爽剛健的「健舞」和輕柔緩慢的「軟舞」，這件俑體態柔軟，兩臂溫柔舒展，應當正在表演軟舞。

唐

○ **持物女俑**

這一對俑表現的是唐代宮中女官的形象。

宮中女官形象的陶俑，北朝時就已經出現，唐代社會風氣開放，女人為官已不是什麼新鮮事。

這兩件女俑頭上所戴的冠帽源於男性武官的穿著，身上穿的寬袖長袍，與唐代官吏服飾基本相同。男女「工作服」一致，說明當時女性地位提高，在唐代宮廷中擔任重要的職位，而且任用女性為官吏已經有成熟完備的制度，服裝有了定制。

看什麼看！

唐

○ 彩繪打馬球俑

這件俑表現的是一位正在打馬球的女騎手。

打馬球是一種組隊競技的運動，運動員需騎在馬上，揮動手中長竿，將球擊入對方球門中。這項運動源自波斯，經西域地區傳入中國，唐初時率先在軍隊中流行起來。

唐代的宮廷貴族非常喜愛這項競爭激烈、緊張刺激的運動，當時的女性也鍾愛馬球比賽。她們身穿緊身胡服，馳騁賽場，揮杖擊球，英姿勃發，可見唐代風氣的開放，女性可以自由參與社會活動，和男性一起上場競技。

唐

○ 彩繪陶縮脖俑

館藏地

陝西歷史博物館

這是唐代的一件彩繪陶俑，聳肩站立著，兩手攏在袖子裡，頭歪向一側，面部表情非常生動，五官擠在一起，成「囧」字臉，顯得非常委屈，甚至整個身體看起來都頹喪洩氣。

唐代的俑已不滿足於僅表現人物身分，而是製作愈來愈精細，能準確傳達出人物的情緒與精神氣質，由此才出現眾多表情豐富、活靈活現的人俑。

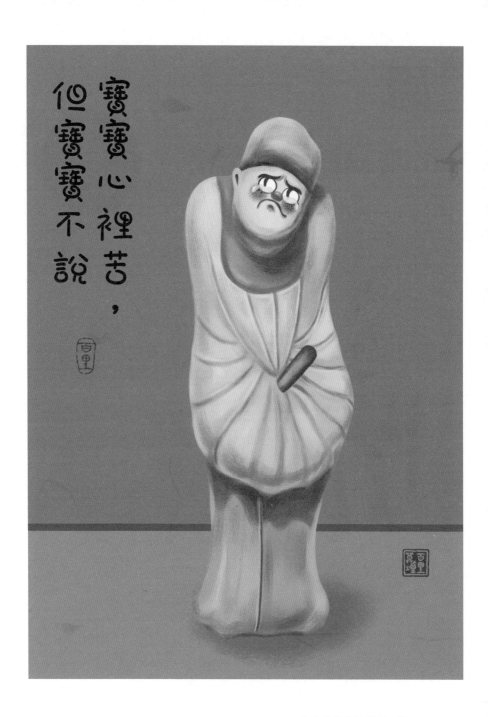

寶寶心裡苦，但寶寶不說

唐

○ 彩繪騎馬武士俑

館藏地
—
新疆
維吾爾自治區
博物館

這是一件出土於新疆的騎馬武士俑。

戰馬幫助唐王朝建立國家，所以唐代非常重視馬匹的飼養和訓練。

中國早期，上層社會出行講究乘車而不是騎馬，在一些重要場合，騎馬甚至被認為是不雅的舉動。然而到了唐、宋時期，騎馬卻成為一種時尚，上至皇親貴戚，下至平民百姓，都以騎馬為榮，出席隆重的場合也要騎馬。

剪刀、石頭、布

唐

○ 胡人牽駝俑

館藏地
南京博物院

這是一件胡人俑，從動作推測，它正在緊握手中的韁繩，牽著身後的一匹駱駝。

「胡」是北方少數民族的統稱，在唐代，更多是用來指稱粟特人。他們原本是居住在中亞地區的半農半商民族，最初為了經商來到中原地區，為唐王朝的富庶所吸引，不願意回到故鄉，就長久地居住下來，成為唐朝的移民。

有一句形容粟特人的詩句，說他們「十歲騎羊逐沙鼠」，非常善於畜牧，所以很多粟特人被貴族富人雇傭，牽駝馭馬，就像我們看到的這件俑一樣。

我們一起學貓叫

唐

○ 彩繪胡人文吏俑

館藏地
陝西歷史
博物館

這是一尊胡人文吏俑。

粟特人入籍大唐後，很多人逐漸摒棄本民族的習俗，一些有知識的人還努力接受漢文化，甚至參加科舉，考取進士，做了朝廷的官員。這一件俑穿著的圓領袍服和頭戴的襆頭就是唐朝官員的日常穿著。

胡人俑可以說是唐代墓葬中的特產，雖然總體上數量不多，卻能反映出開放、包容、富庶的唐朝對外國人的吸引力。

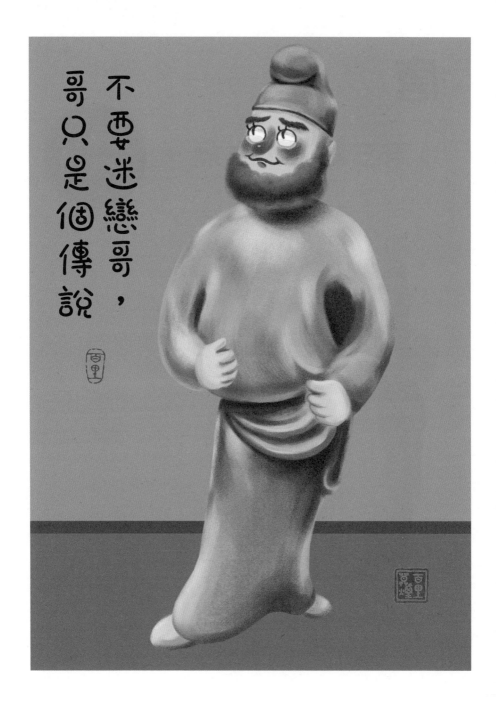

不要迷戀哥，
哥只是個傳說

唐

○ 唐三彩武士立俑

這是一件唐三彩陶俑。

三彩技術是唐代時發明出來的，豐富了陶器的顏色，陶器變得絢爛多彩。「三彩」不只有三個顏色，主要有赭（紅褐色）、綠、黃，還有藍、白、黑等顏色。

這種技術使用以金屬鉛為原料的釉彩，燒製加熱時，流動性非常強的釉彩就可以在器物上向四方流動，不同顏色在流動中形成獨特的紋理，所以唐三彩上面的顏色不是一開始就確定好的，而是燒製後自然形成的，用這種技術燒製的器物，沒有任何兩件的色彩會重複。

甘巴爹

唐

○ 牽駝胡人俑

這是一組出土於湖南的牽駝胡人俑。

駱駝馱著貨物，溫順可愛，頭向後扭著，脖子上的褶皺清晰可見；前面的胡人似乎因為天氣炎熱，脫去半邊的衣服，正在用力地拽著駱駝前進，飽經風霜的臉上滿是皺紋。

唐代時，從中原往返西域各國的絲綢之路商貿繁華，駱駝正是馱運貨物的重要運輸工具，商人也騎乘駱駝往來各地。

還我漂漂拳

唐

○ 招手胡人俑

這是出土於湖南的胡人俑。

只見它的鬍子修剪成整齊的圓形，笑呵呵的，正在招手向人打招呼，非常可愛。

前面已經看過三國時期湖南的瓷俑，可見湖南的陶瓷製作由來已久。發展到唐代，這裡的產品雖然不如其他地區的名氣大，但始終在業界占據一席之地。而且自唐中期發生安史之亂後，由於北方受到戰亂影響，南方卻相對穩定，身處南方的湖南陶瓷業異軍突起，此地的瓷器還透過海上絲綢之路，銷往阿拉伯和印度等地區。

唐

○ 岳州窯架鷹胡人俑

館藏地
湖南省
博物館

出土於湖南地區的胡人俑，俑的右臂上架著一隻鷹。

唐代人馴養鷹一般是為了在狩獵中幫助捕獲獵物，當時的人們會雇傭胡人訓練獵鷹。在北方，這種架鷹狩獵的活動很常見。隨著人口遷徙，北方人和胡人把這種狩獵方式帶到南方。

湖南地區的胡人俑總是身穿唐人的圓領袍，不像北方似的戴高尖帽、穿翻領胡服，可能是因為這裡的胡人漢化得更加徹底，已經不常穿本民族的服飾了。

愚蠢的人類

…川

唐

○ 加彩胡人俑

出土於甘肅慶城的胡人俑。

兩臂高舉，斜腰撐胯，整個身體形成一條富有動感的「S」形曲線。穿著一條非常時尚的豹紋皮褲，頭上纏著橘黃色髮帶，耳垂特別長，可能來自印度。

優美的身段，自信的表情，好像正在跳舞，展示自己的身材，但可能是在表現用力牽拉韁繩的瞬間，我們彷彿能想像到它正在使勁拽著馬或駱駝前進的畫面。

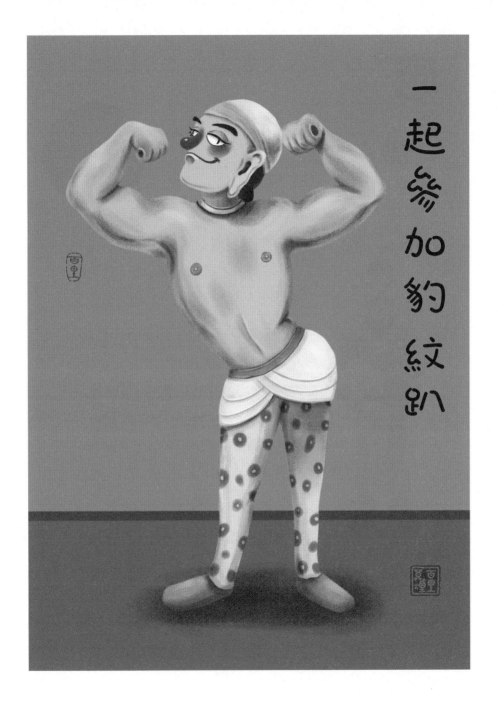

一起參加豹紋趴

唐

○ 胡人俑

這是一件出土於新疆吐魯番地區的胡人俑。

單手叉腰，穿著翻領胡服，表情充滿自信。唐代初年，唐人就攻滅西域的國家高昌，將今天新疆吐魯番地區的這片領土設立為西州。唐代中期，西州被來自青藏高原的吐蕃人攻占。

唐朝統治這裡的一百五十多年正是唐王朝最為興盛的一段時期，中原文明向西傳播。得益於這裡乾燥的氣候，許多中原地區罕見的唐代文物都被保留下來，接下來會看到幾件新疆的唐代文物。

讚啦！

唐

○ 彩繪馱夫木俑

這是一件同樣出土於吐魯番的木俑，木質的俑很少見，更何況身上的色彩還如此鮮豔，只有在吐魯番的乾燥氣候下，才能保存得如此完好。

出土這件俑的墓很特別，是一座夫妻的合葬墓。

其中，丈夫早亡，他過世時，高昌還沒有被唐朝攻滅，但妻子下葬時，唐人已統治此地數十年了。陪葬俑是漢人的習俗，所以這件木俑明顯是妻子下葬時的陪葬品。

俑戴著高聳的尖頭帽，據說唐初名臣趙國公長孫無忌喜歡戴這種帽子，引得很多人爭相效仿，風行一時。

我是跟鄉民進來看熱鬧的

唐

○ 彩繪木胎傀儡戲俑

館藏地

新疆
維吾爾自治區
博物館

這件木俑同樣出土於吐魯番。

頭部和身體用木頭雕成，身穿錦絹外衣，胳膊用紙撚成。擠眉弄眼，神情滑稽詼諧，不同於一般的墓俑，應當是用於表演的木偶，唐代稱這種表演為「傀儡戲」。

唐代有表演「喪家樂」的風氣，用精心製作的車馬模型當作舞臺，在送葬路上用木偶進行表演，這件木偶應該就參與了「喪家樂」的表演。

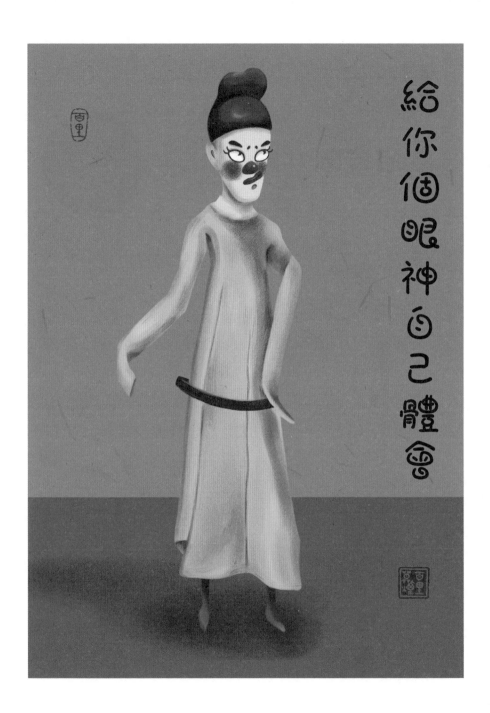

給你個眼神自己體會

唐

○ 頂竿倒立俑

出土於新疆吐魯番的一件雜技俑。

俑不太完整，有些殘損，原件的頂竿還要長得多。「頂竿載人」是一項雜技絕活，漢代就有，前面看過的額頭頂竿，兩人在竿上做高難度表演（見p.130），這一件則改在頭頂上頂竿。

唐代有一本叫《獨異志》的書記載，有一位奇女子王大娘，頂竿上可載十八人，技藝高超，絕無僅有。

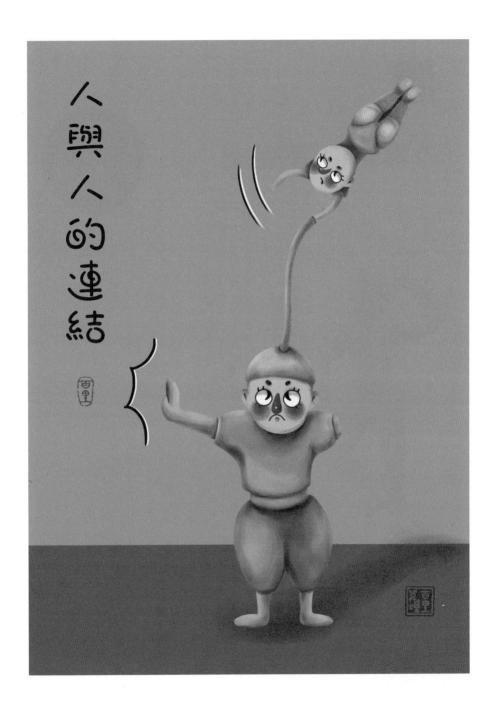

人與人的連結

唐

○ 黑人戲弄泥俑

這件俑表現出表演「獅子舞」的情景。

「獅子舞」是唐代盛行的一種滑稽戲，白居易有句詩說：「假面胡人假獅子。刻木為頭絲作尾，金鍍眼睛銀帖齒⋯⋯」

這種滑稽戲中，利用木頭、絲線做出假獅子，演員戴面具或把臉塗黑，像黑人或胡人一樣扮演馴獸師。就像這件俑所表現的黑人，其實是演員假扮的，不是真實的黑人。

獅子是來自異域的動物，黑人相貌有別，從這種獅子舞在當時的盛行，足可看出唐人的好奇心。

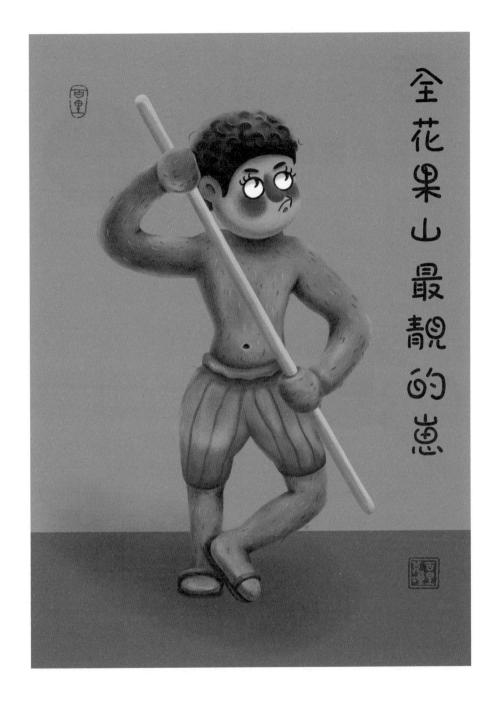

全花果山最靚的崽

唐

◯ 大面舞俑

這是出土於新疆的一件舞蹈俑，正在表演「大面舞」。

這種舞蹈又叫「弄蘭陵王」，源自真實的歷史事件。傳說北齊的蘭陵王高長恭善於帶兵打仗，勇猛剛毅，但長相柔美如女子，他擔心這樣不足以威懾敵人，就做一個面目猙獰的面具，作戰時戴在臉上，破陣殺敵，屢戰屢勝。

後人根據這個故事改編舞蹈，演員身穿紫金戰袍，頭戴面具，表演蘭陵王的故事。

啊
嗻

唐

○ 彩繪戴面具舞蹈俑

這件俑表現的是唐代表演「蘇幕遮」舞蹈的場景。

新疆的吐魯番地區夏天非常炎熱，唐代時，當地民眾會在盛夏表演潑水歌舞，祈願降溫，這種表演愈來愈盛行，逐漸發展成載歌載舞的大型演藝專案，開始借用西域女性所戴帽子的名稱「蘇幕遮」來指代這種表演。當時，表演蘇幕遮舞曲都要戴各種獸面或鬼神的面具，就像這件俑一樣。

惡靈退散

唐

○ 白馬舞泥俑

這件俑乍看起來就是一個騎馬者，但仔細一看就能發現，馬腿太短了，更像是人的小腿，馬身也沒有腹部線條，是平齊的，馬身上的人腿也像是偽造。

這件俑不是普通的騎馬俑，實際上表現的是像今天「跑驢」一樣的滑稽戲——兩人合演，兩人的四條腿充當馬腿，一人藏在馬身中，另一人露出上半身，類似表演有「舞獅」或單人民俗舞蹈「老背少」，都是配合著音樂唱歌表演。唐代的這類表演非常流行，表演時圈出一塊場地，觀眾圍看觀賞。

套馬的漢子

唐

○ 生肖俑

這件俑表現出十二生肖中的雞。

「十二生肖」這個說法在東漢時就有了，隋、唐時期的墓葬中出現生肖俑，被用來守護墓主人，驅邪避凶。

唐代，很多地方都有陪葬生肖俑的習俗，但方式不太一樣，例如陝西地區往往陪葬一整套十二件生肖俑。但在這件雞俑出現的新疆吐魯番墓中，就只有這件雞俑和另外一件豬俑，對應這座夫妻合葬墓，這兩件俑可能代表兩位墓主人的生肖。

雞湯有毒

唐

○ 鳥身俑

館藏地

湖南省
博物館

這種鳥身俑常出現在唐、宋時期的墓葬。

其實這種鳥身人頭的形象很早就出現在墓葬中，只不過一開始是畫在墓室牆壁上，或雕刻在磚上，後來才變成立體的雕塑。

這種鳥與神仙信仰有關，代表著長生不死、千秋萬歲，墓主人希望借助牠們羽化登仙，獲得永恆的生命，且保佑子孫福壽綿長。

這是什麼鳥？

五代十國

○ 舞蹈陶俑

這是一件來自五代十國時期南唐的俑。

唐王朝經歷二百八十多年後，在內憂外患之中瓦解，中國歷史進入混戰時期——五代十國。五個朝代先後統治北方，而南方卻出現十個大小不一的國家，這種狀況持續約五十年。

南唐就是南方的其中一個國家，占據著江南的廣大區域，國內比較富庶，經濟繁榮。這一件俑就出土於南唐的開國皇帝李昪的陵墓，可見南唐宮廷的歌舞昇平和繁華奢侈。

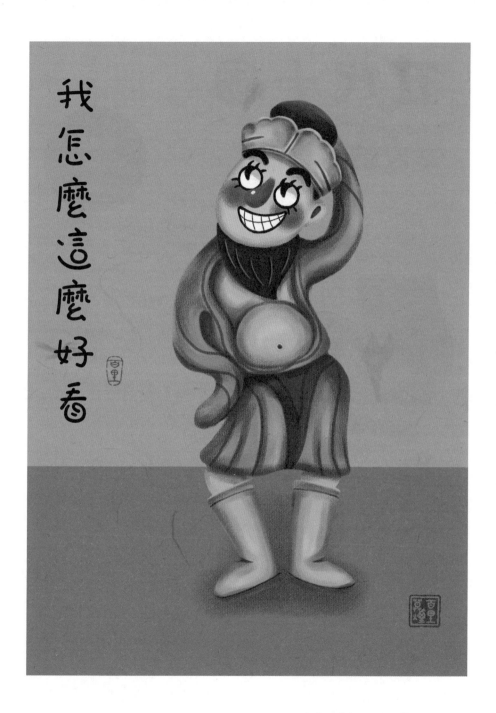

我怎麼這麼好香

五代十國

○ 人首魚身俑

這種形貌奇特的人首魚身俑，隋代就出現在河北地區，五代十國時北方沒有，只在東南地區發現過。

對於這種神怪俑的作用和身分有多種看法，有人認為它是公侯卿相置於東側的鎮墓神異；也有人認為隨葬此類俑的墓主人從帝王將相到平民百姓都有，不符合高級官吏隨葬的禮制，因此應該是道教中的雷神形象，道教經典中曾說：「虛皇太華君，乃西北之神，人首魚身。」

往後魚生

五代十國

○ 趙廷隱墓彩繪伎樂俑

館藏地

四川博物院

出土於五代十國後蜀的一件俑。

頭戴花冠，服裝華麗複雜，身姿靈動飄逸，推測正在表演柘枝舞。

這是來自西域的一種舞蹈，融合多個少數民族的文化，唐代時流行於全國，後來又與南方當地舞蹈相結合，被改編為群舞。出土這件俑的墓葬中，同樣打扮的舞俑確實有多個，應該正是專門表演柘枝舞的舞隊。

頭痛系拍照

宋

○ 紅陶胡人踏鼓蹴鞠像

館藏地
鎮江博物館

這是宋代的一件蹴鞠俑。

五代十國結束後，歷史進入宋代。宋代社會繁榮、經濟發達，城市娛樂生活開始迅速發展起來，例如蹴鞠。

「蹴鞠」就是踢球，雖然中國現在不是善於踢足球的國家，但這項運動的雛形可是很早就出現在中國了。宋代的蹴鞠運動非常流行，有了充氣的球，還變化出多種踢法，增強比賽的表演性和觀賞性；這一時期還產生專門的蹴鞠組織，有著嚴格的社規。

來踢球吧

宋

○ 匍匐俑

館藏地
四川博物院

出土於四川地區的宋俑。

墓葬中，一般會有另一種仰頭望天的俑與這種俯身跪拜的俑成套出現。它們一個望著天空，一個向著地面，可能是在幫助墓主人觀察天象、考查地候，以便根據天時地利占卜吉凶，甚至溝通神明萬物，以此保佑墓主人千秋萬歲、永無災苦。

製作者根據現實生活中的風水先生或天文學家的形象設計出這種俑。

笑趴了

金

○相撲人物磚

館藏地

陝西歷史
博物館

金朝由來自北方的少數民族女真族創立，占據著北方，與宋朝長期對立，這就是一件金代的相撲人物磚。

相撲是一種古老的運動，秦、漢時期就開始流行，但最初更像是一種娛樂表演，後來競技性質逐漸增強。

金代的統治者非常重視相撲運動，為此制定一套完整的比賽規則，使相撲真正成為一種體育運動。

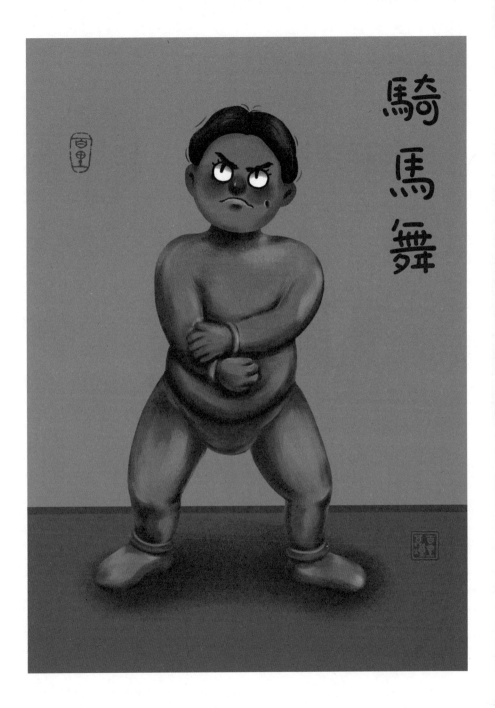

騎馬舞

明

○ 釉彩樂器俑

從宋代開始，墓葬中陪葬陶俑的現象愈來愈少，宋之後的元代、明代，陶俑就非常罕見了。

這一組樂器俑是明代的文物，是一支樂隊。俑身上的釉色明亮鮮豔，應該是明代著名的琉璃釉。

明代時，全國各地都有燒造這種琉璃釉製品的窯廠，當時的建築上大量使用這種釉，使得建築外觀流光溢彩、明豔生光。

明

○ 陶藍綠釉男俑

這是明代的一件陶俑。

穿著典型的明代風格，袖子十分寬大，卻在袖口處束起。這件俑釉色明亮，使用「三彩」技法。

說到「三彩」，「唐三彩」可能更為出名，然而隨著唐王朝殞落，唐三彩成為傳說，但這種釉陶器的燒製技術卻流傳下來，沒有斷絕，此後又陸續出現「遼三彩」、「宋三彩」、「金三彩」、「明三彩」等，這一件就是明三彩。

我不是胖，只是骨架大

明

○ 陶藍綠釉男俑

館藏地
故宮博物院

這是一件明三彩。

後來的三彩器在顏色上有了轉變，幾乎以綠色為主，藍色不再常用，配色柔和典雅、內斂含蓄。

唐三彩的器物基本上只做為墓葬中的陪葬品，現實生活中是不用的，後來的三彩卻有實用器型，開始在日常生活中使用。

扛壩子

明

◯ 捧心陶俑

這是明代的一件陶俑，也是此次文物之旅的最後一站了。

從春秋戰國開始，俑出現在墓葬中，逐漸成為隨葬品中尤為重要的一類，歷朝歷代的工匠們用木、陶、石、瓷等不同材質塑造著各種不同職業、不同身分、不同姿態的人物，還原著一個個生動鮮活的場景。

宋、元以來，用紙糊紮喪葬器物的習俗開始流行，導致俑的使用減少；到了明代，只有在零星的王族官僚墓中還能見到俑，流行二千多年的喪葬習俗就這樣漸漸消解。

我只是落枕

後記

親愛的讀者朋友，你好！在大家結束這段趣味之旅前，想分享一些我的想法。

大家心目中的文物是什麼樣的呢？

或許你和之前的我一樣，覺得文物沉甸甸的，有些無趣；你或許會想，它們距離我們的生活是那麼遙遠，為什麼要費功夫去了解和欣賞呢？為什麼人們還要專門建造博物館展示這些文物呢？

本書中，我們一起探索了這些問題的答案。

聰穎姊姊用充滿魔力的畫筆，將沉默的文物變成活蹦亂跳的哏圖。你會發現，原來這些文物距離我們的生活一點都不遙遠，它們可以如此生動活潑！

每一張文物哏圖，在對相應的文物原型，翰寧姊姊都做了活潑生動的文字介紹，在這種古今碰撞中，你會發現，當我們換一種視角探索歷史時，歷史一點都不枯燥，反而充滿了生命力。

如果有機會，你一定要去博物館親眼看看，當面認識這些文物朋友，說不定會有新發現唷！

彩蛋時間

好棒棒

敲碗

牙痛系拍照

對你愛愛愛不完

沒看過現在最流行的髮型嗎？

我要代替月亮懲罰你

HISTORY 系列 073

喂!不要玩文物:魔性哏圖懶人包

繪　　　圖 —— 王聰穎
文　　　字 —— 馮翰寧
主　　　編 —— 邱憶伶
責任編輯 —— 陳映儒
行銷企畫 —— 林欣梅
封面設計 —— 兒日
內頁設計 —— 張靜怡

編輯總監 —— 蘇清霖
董 事 長 —— 趙政岷
出 版 者 —— 時報文化出版企業股份有限公司
　　　　　　108019 臺北市和平西路三段 240 號 3 樓
　　　　　　發行專線 —— (02) 2306-6842
　　　　　　讀者服務專線 —— 0800-231-705・(02) 2304-7103
　　　　　　讀者服務傳真 —— (02) 2304-6858
　　　　　　郵撥 —— 19344724 時報文化出版公司
　　　　　　信箱 —— 10899 臺北華江橋郵局第 99 信箱
時報悅讀網 —— http://www.readingtimes.com.tw
電子郵件信箱 —— newstudy@readingtimes.com.tw
時報出版愛讀者粉絲團 —— https://www.facebook.com/readingtimes.2
法律顧問 —— 理律法律事務所　陳長文律師、李念祖律師
印　　　刷 —— 金漾印刷有限公司
初版一刷 —— 2021 年 11 月 12 日
定　　　價 —— 新臺幣 380 元
(缺頁或破損的書,請寄回更換)

時報文化出版公司成立於 1975 年,
1999 年股票上櫃公開發行,2008 年脫離中時集團非屬旺中,
以「尊重智慧與創意的文化事業」為信念。

喂!不要玩文物:魔性哏圖懶人包/馮翰寧文字;
王聰穎繪圖 . -- 初版 . -- 臺北市:時報文化出版
企業股份有限公司 , 2021.11
240 面;14.8×21 公分 . --(History 系列;73)
ISBN 978-957-13-9611-8(平裝)

1. 博物館　2. 蒐藏品　3. 通俗作品

069.8　　　　　　　　　　　　110017729

ISBN　978-957-13-9611-8
Printed in Taiwan